El muñeco de nieve negro

por Phil Mendez

Ilustrado por Carole Byard

traducido por Susana Pasternac

SCHOLASTIC INC.

New York Toronto London Auckland Sydney

ISBN 0-590-48713-2

Text copyright © 1989 by Phil Mendez.
Illustrations copyright © 1989 by Carole Byard.
Translation copyright © 1994 by Scholastic Inc.
All rights reserved. Published by Scholastic Inc.
MARIPOSA is a trademark of Scholastic Inc.

12 11 10 9 8 7 6 5 4 3 2   8 9/9 0 1 2/0

Printed in the U.S.A.   08

First Scholastic printing, January 1997

Original edition: October 1989

En una solitaria choza de paja, en un lugar de África Occidental, un anciano que cuenta cuentos se prepara para la llegada de los niños de la aldea. El anciano narra historias de Anansi, la araña. De cómo su cabeza se volvió muy pequeña, y la envidia se apoderó de la tribu de los ashanti.

El viejo narrador de historias ya está listo, sólo le falta una cosa muy importante: el kente de brillantes colores. Cuando se envuelve en su paño, su mente se transforma en la de una persona joven. Como es anciano no recuerda bien muchos de los cuentos que sabe, pero cuando viste el mágico kente, *las historias le vuelven a la mente con toda claridad. El kente le ayuda a recordar.*

El rito de contar historias continúa durante muchos años. Los niños de la aldea crecen, tienen hijos y los envían al anciano para que escuchen y aprendan. Pero un día el viejo narrador calla. No se escuchan ya sus historias.

Un día llegan unos invasores que capturan a los aldeanos y se apoderan de todo lo que poseen. Se llevan a los prisioneros en barcos que cruzan un vasto océano hasta un continente llamado América, en donde los venden como esclavos.

El kente mágico también llega a América y pasa de generación en generación aun después que termina la esclavitud. Con el uso se desgastan sus finos hilos hasta que, andrajoso e inútil, lo desechan. Pero todavía posee su magia . . . todavía puede realizar maravillas.

Jacob Miller siempre se despertaba tarde los sábados. Pero no este sábado. Cuando abrió los ojos, el corazón le latía con fuerza. No recordaba lo que había soñado, pero tenía que ser algo muy malo, porque sentía miedo y estaba muy irritado.

Jacob estiró el brazo para encender la luz. La base de la lámpara era un vaquero que lanzaba un lazo formando un adorno alrededor del borde de la pantalla. La mano izquierda del vaquero estaba rota y el lazo todo torcido. Sin duda, el niño que había usado la lámpara por primera vez, debía ser ahora un anciano.

Él hubiera preferido una lámpara con robots y guerreros espaciales pero, como casi todo lo que poseía, la lámpara era vieja y toda destartalada. A Jacob le daba rabia con sólo mirarla.

Jacob se vistió deprisa y se dejó guiar por el delicioso aroma del desayuno que venía de la cocina. Peewee, su hermano menor, estaba al lado de su madre cerca del hornillo.

—¿Podemos ir a comprar los regalos de Navidad? —preguntó Peewee.

—No creo que podamos hoy —contestó Mami.

—Ni hoy, ni nunca —interrumpió Jacob—. Para los pobres como nosotros no hay Navidad.

—Jacob . . . —dijo Mami, tratando de suavizar el dolor que veía asomar en los ojos de Peewee—. Quizás no podamos hacer compras, pero sé que habrá regalos.

—¡Seguro! —dijo Jacob—. Recibiremos quizás algunos calcetines viejos de esa tienda tan conocida que es ¡el Ejército de Salvación!

Con estas duras palabras Jacob se burlaba de su madre. Herida, ella le respondió enojada:

—¡Nunca hables en ese tono en esta casa! ¡Nunca! ¡Me has entendido, Jacob!

—¡Por favor, no peleen! —gritó Peewee—. ¡Jacob no quiso herirte Mami!

Pero Jacob no estaba arrepentido, porque venía repitiendo la misma escena todas las semanas. Las palabras no eran siempre las mismas, pero sí el dolor que encerraban. Jacob se alejó y se sentó silencioso en el mismo taburete de siempre. Apoyó la cabeza en las manos y, reprimiendo las lágrimas, se puso a mirar por la ventana de la cocina.

Nadie dijo una palabra mientras Mami preparaba la mezcla de los panqueques y la vertía en la sartén. Jacob sabía que su madre esperaba que se disculpara, pero no podía.

Mami trató de buscar las palabras adecuadas:

—Ya sé que esto es muy duro para ti, hijo. Estamos pasando por momentos muy difíciles, pero . . .

Jacob estalló con furia:

—¡Detesto ser negro! ¡Lo detesto!

Un escalofrío recorrió la espalda de Mami, como si la columna vertebral se le hubiera transformado en un pedazo de hielo.

—¡Esto no tiene nada que ver con ser negro, hijo!

—¡Todo lo que es negro es malo! —dijo Jacob repitiendo las mismas palabras que había escuchado decir a otros—. ¿Alguna vez oyeron hablar de la Casa Negra? ¡No! Pero hay una Casa Blanca. Las nubes blancas son suaves y bonitas. Las nubes negras son tristes y traen ventarrones. ¿Y en los cuentos de hadas? El caballero blanco es el que vence, el negro siempre pierde. La magia blanca es buena; la magia negra es mala.

—¡No digas tonterías, Jacob! —contestó Mami—. ¡Es la misma historia que vengo escuchando desde que era niña!

—¡Mami! —llamó Peewee, tirando con fuerza de su falda.

—Ahora no, Peewee —dijo Mami, mirando con tristeza al mayor de sus hijos.

Peewee insistió:

—¡Mami!

—Shhh —dijo Mami—; pero al darse vuelta notó que salía humo. Miró dentro de la sartén y se puso a reír. Peewee también reía.

—¿De qué se ríen? —preguntó Jacob.

—Del muñeco en la sartén —dijo Mami.

—Ahí no hay ningún muñeco —dijo Jacob—. Sólo un panqueque ennegrecido.

—Niño, no tienes ninguna imaginación —dijo riéndose mientras comenzaba a adornar el muñeco. Con dos hojitas de cereal formó los ojos y con una salchicha dibujó la boca.

Jacob trató de contenerse pero no pudo y se echó a reír con tanta fuerza que creyó que iba a reventar. Mami le hizo cosquillas a Jacob y los dos niños le hicieron cosquillas a ella y pronto todos estaban en el suelo de la cocina: Mami doblada en dos y Jacob y Peewee pataleando en el aire.

—¿Crees que nuestro muñeco está contento de ser negro? —preguntó Jacob.

—Pero, por supuesto —dijo Mami—. La felicidad no tiene color.

Entonces la risa de Jacob se desvaneció tan rápidamente como había venido.

—Eso es lo más tonto que he oído en mi vida —dijo mientras se ponía el abrigo y salía a la calle.

El aire de la mañana estaba fresco. Aquí y allá islotes de nieve resplandecían entre los charcos de aguanieve pisoteada. Los autobuses y camiones sonaban sus bocinas cuando los niños les lanzaban bolas de nieve.

Jacob se encontró en el medio de una batalla. Dos bolas de nieve reventaron a sus pies. Trató de cruzar la calle esquivando algunos proyectiles, pero decidió ir a sentarse en los escalones que bajaban al sótano de su edificio. Quería estar solo, pero no lo consiguió. Peewee le había seguido la pista.

—¿Qué quieres? —preguntó Jacob.

—Quiero jugar contigo —dijo Peewee—. Hagamos un muñeco de nieve.

—No podemos hacer un muñeco de nieve —dijo con irritación Jacob—. No ves como está la nieve toda derretida y negra de tanto que la gente le pasa por encima.

—Entonces hagamos un muñeco de nieve negro —dijo Peewee.

—Un muñeco de nieve negro —suspiró Jacob—. Oh, sí, como si eso fuera lo que siempre soñe hacer.

Jacob miraba mientras Peewee juntaba la nieve con sus pequeñas manos.

—A ese paso, no lo terminarás ni para la primavera —dijo Jacob.

Finalmente, Jacob se decidió a ayudarle y entonces avanzaron rápidamente. Y mientras más se afanaba, su ánimo se iba mejorando.

—A este muñeco de nieve negro no le vendría mal un poco de ropa —sugirió Jacob.

Peewee fue a buscar el vestuario entre las latas de basura: estambre de acero para el pelo, botones para los ojos, unos guantes viejos y un gracioso sombrero.

Peewee miró orgulloso a su muñeco de nieve, pero Jacob, que tenía un ojo más crítico, dijo:

—Falta algo.

—¿Cómo qué? —dijo Peewee.

—No ves que hace frío aquí afuera. Tenemos que encontrar algo para ponerle sobre los hombros.

Peewee buscó nuevamente en la basura y encontró un paño de muchos colores.

—Mira —dijo Peewee, mientras sostenía el manto en alto para que su hermano lo viera.

—No —dijo Jacob de mal humor—. Deja eso. No le pega con el sombrero. Trata de encontrar otra cosa.

—Pues, a mí me gusta —dijo Peewee— y se lo voy a poner.

Peewee arropó cuidadosamente el cuerpo del muñeco de nieve con el paño.

—Ahora está perfecto —dijo Peewee.

Jacob miró al ennegrecido muñeco de nieve con su raído sombrero y su chal viejo y andrajoso y se sintió triste y enojado al mismo tiempo.

—Un muñeco de nieve negro —dijo Jacob—. ¡Qué cosa más fea!

Pero ese viejo y andrajoso paño había conservado sus poderes mágicos a través de muchas generaciones y ahora volvía a tomar vida nuevamente. Sin saberlo, Peewee había descubierto el *kente* mágico.

—¿A quién llaman feo?

Los muchachos miraron alrededor pero no vieron a nadie.

—¿Quién dijo eso? —preguntó Jacob.

—Yo. Aquí estoy.

—Es nuestro muñeco de nieve —dijo Peewee, brincando de alegría. ¡El muñeco de nieve habla!

Jacob miró con recelo.

El muñeco de nieve levantó a Peewee en alto.
—¡Vaya! —dijo el muñeco de nieve—, un niño que sabe soñar.

El muñeco de nieve puso a Peewee en el suelo y los dos comenzaron a bailar.

—Tenemos que irnos —interrumpió Jacob.

El muñeco de nieve fue bailando hacia donde estaba Jacob.

—Pero tú no has bailado todavía —dijo el muñeco de nieve—. ¿Acaso no sabes que es de mala educación no bailar con un nuevo amigo?

—Tú no eres mi amigo —dijo Jacob.

El muñeco de nieve caminó alrededor de Jacob. Apoyó su mano enguantada en la frente del niño y entrecerró los ojos para concentrarse mejor.

El color del muñeco de nieve cambió de gris a rosa, luego a rojo, a amarillo, a azul; hasta que finalmente quedó totalmente negro. Era como si todos los colores del universo se hubieran reflejado en su cuerpo. Luego, abrió los ojos muy, muy grandes, como si hubiera hecho un descubrimiento repentino.

—¿Así que negro es malo, eh? —dijo el muñeco de nieve.

—Sí —dijo Jacob desafiante.

—¿Qué es más importante en un libro? ¿Las páginas blancas, las palabras negras o el mensaje que contiene? —preguntó el muñeco de nieve.

—¿Qué? —dijo Jacob sorprendido.

—El infinito es negro y el universo está dentro de él —dijo el muñeco de nieve—. ¿Podemos decir que la tierra es mala porque gira en la inmensa oscuridad?

Jacob no sabía qué decir.

El muñeco de nieve continuó:

—¿Te has sentado a la mesa de tus antepasados? ¿Has aceptado el escudo del valor que te han legado?

Jacob vaciló. No entendía nada de lo que el loco muñeco de nieve estaba diciendo.

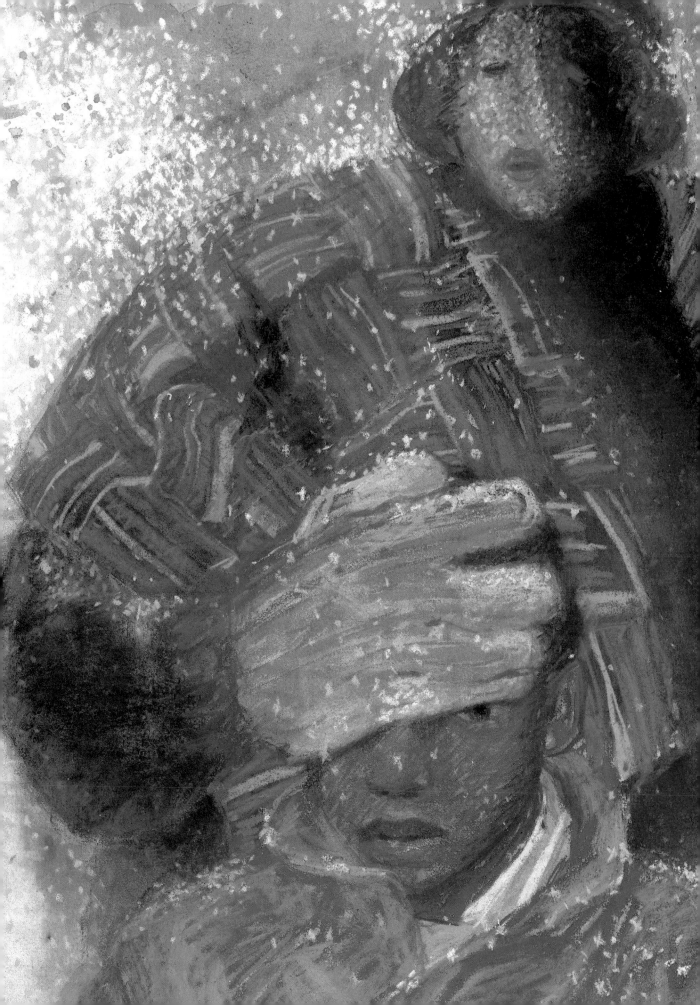

—¡Jacob! ¡Peewee! —llamó Mami desde la ventana.

—Es Mami —dijo Peewee.

—¡Ya vamos, Mami!

Pero antes de que se fueran, el muñeco de nieve se despidió con estas misteriosas palabras:

—Nos veremos de nuevo Jacob. Mi misión contigo sólo acaba de comenzar.

Los muchachos corrieron rápidamente por el callejón hasta la calle.

Una vez dentro del edificio decidieron que no le contarían a nadie lo que había ocurrido, ni siquiera a su Mami.

Cayó la noche y desapareció la claridad del día.
El cuarto sólo estaba iluminado por la luz de la calle
que se filtraba por la ventana.

—¿Qué piensas de nuestro muñeco de nieve? ¡Es
maravilloso de verdad! —dijo Peewee.

—¿Qué tiene de maravilloso un horrible muñeco
de nieve negro? —preguntó Jacob.

—No es un muñeco de nieve cualquiera —dijo
Peewee.

—Ya no quiero hablar más acerca de él —dijo
Jacob.

—¡Pero es real! —dijo Peewee—. ¡Nuestro muñeco
de nieve es real!

Es sólo tu imaginación —mintió Jacob—. Duérmete ahora y déjame tranquilo.

—Entonces hablemos de Navidad —dijo Peewee—. Este año quiero regalarle a Mami algo verdaderamente especial.

Jacob se enfureció:

—¿Pero no entiendes que no tenemos dinero?

—Pero yo tengo un plan. Podemos recoger botellas y latas vacías y llevarlas para que nos den dinero por los envases —explicó Peewee—. Si logramos juntar muchas, podremos comprarle un bonito regalo a Mami. Le podemos comprar ese perfume que tanto le gusta. ¿Jacob, qué te parece?

—¿Y de dónde sacarás todas esas latas y botellas, Peewee? Tendrás que recorrer media ciudad para

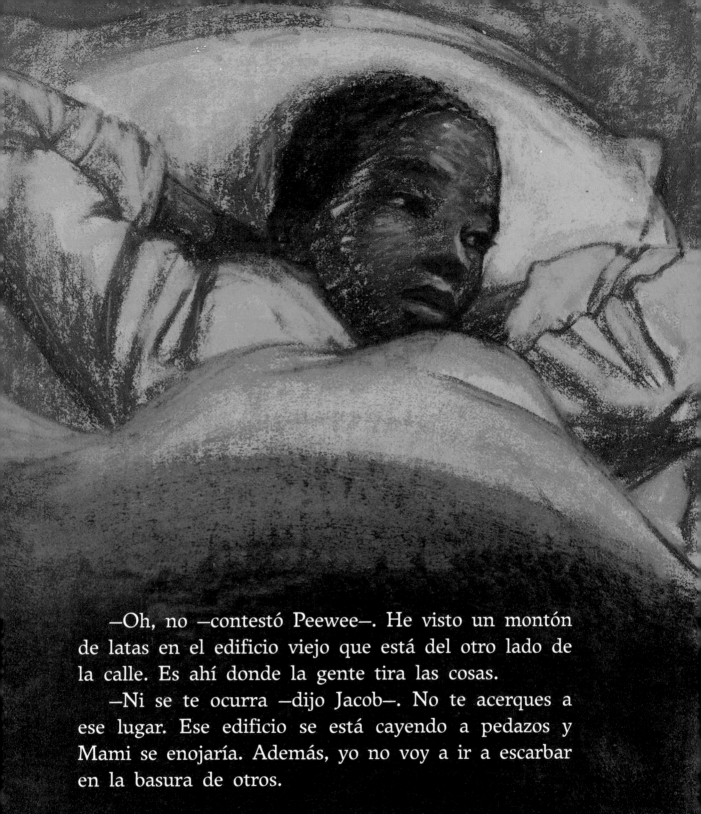

—Oh, no —contestó Peewee—. He visto un montón de latas en el edificio viejo que está del otro lado de la calle. Es ahí donde la gente tira las cosas.

—Ni se te ocurra —dijo Jacob—. No te acerques a ese lugar. Ese edificio se está cayendo a pedazos y Mami se enojaría. Además, yo no voy a ir a escarbar en la basura de otros.

Jacob se dio cuenta de que su hermano Peewee se había quedado dormido. Pero él no podía conciliar el sueño. No podía dejar de pensar en todo lo ocurrido. En ese mismo momento Jacob escuchó una voz.

—¡Levántate, gran guerrero!

Cuando Jacob se acercó a la ventana, vio una luz azulada que venía del callejón. El muñeco de nieve estaba de pie con las manos levantadas hacia el cielo. Agitaba los brazos hacia la pared del edificio cuando, de pronto, un ladrillo se desprendió y cayó al suelo. Al caer, el ladrillo fue cambiando de forma y un guerrero africano surgió en su lugar, en medio del callejón. Luego, el muñeco lanzó al aire la tapa de la basura que al girar se transformó en una majestuosa reina negra.

Jacob se puso el abrigo sobre el pijama y salió corriendo a la calle.

El muñeco se paró sobre un montículo de nieve y agitando los brazos, preguntó:

—¿Has estudiado con los maestros de Timbuktu? —De repente, un montón de nieve se transformó en una figura gigante—. ¿O has cabalgado con los jinetes de Borni? —Y con sólo un leve movimiento de su brazo, un jinete a caballo surgió de la nieve.

—¿Has bailado con los zulúes? ¿Luchado con los nubas? ¿Cazado con los binis? ¿Has escuchado las historias de los ashanti? ¿Los poemas de los tuaregs? ¿Las plegarias de los zandes?

—¿Quién es esa gente? —preguntó Jacob.

—Es gente como tú —contestó el muñeco de nieve. Son los bravos y valientes africanos de los que tú desciendes, herencia de la cuál puedes sentirte orgulloso.

—No soy como ellos —dijo Jacob—. No soy un guerrero, soy sólo un niño.

Jacob subió las escaleras corriendo y se ocultó bajo la manta de su cama. Pero no logró dormirse por mucho, mucho tiempo.

Cuando Jacob se despertó a la mañana siguiente, Peewee estaba de pie, al lado de su cama, con una bolsa en la mano.

—Esta es tu última oportunidad —dijo Peewee—. ¿Vienes o no?

Jacob se dio vuelta en la cama, dándole la espalda.

—Ve a buscar basura tú solo —dijo Jacob—, simulando dormirse hasta que su hermano se fue.

Después de vestirse, Jacob fue a la cocina para ver lo que Mami estaba preparando para la cena del domingo.

—Te estoy haciendo tu plato favorito —le dijo.

Mami siempre se preocupaba por complacerlos. Peewee tenía razón. Ella se merecía algo especial para Navidad.

—Voy a salir un rato —dijo Jacob.

Jacob miró a ambos lados de la calle, pero no vio a Peewee.

En ese momento se oyó una explosión.

Jacob se tiró al suelo, protegiéndose la cabeza. Cuando miró hacia arriba, vio una columna de humo y fuego que salía del edificio abandonado al otro lado de la calle.

El muñeco de nieve apareció a su lado.

—Peewee está en ese edificio —dijo.

El muñeco de nieve corrió y entró al edificio, seguido por Jacob.

Las enormes llamaradas devoraban todo lo que tocaban. Las vigas de madera caían a medida que las llamas consumían lo que les quedaba de humedad. El humo parecía dibujar las siluetas de los valerosos africanos guiando a Jacob hacia donde estaba su hermano.

Jacob se arrimaba al cuerpo frío del muñeco de nieve que lo cubría con el *kente*. Bajo ese paño mágico, los dos estaban a salvo del humo y de las llamas.

Encontraron a Peewee llorando y tosiendo en un cuarto del segundo piso, acurrucado en un rincón al lado de la bolsa con latas y botellas que ya estaba a medio llenar.

Mientras abrazaba a su hermano, Jacob observó el charco de agua que el muñeco de nieve iba dejando detrás de él. Sus pies se habían derretido.

¡*Kente! ¡Kente!* —dijo el muñeco de nieve, y la nieve retornó a sus pies.

El muñeco se quitó el *kente* de los hombros y envolvió a los dos niños bajo su mágica protección.

Como el *kente* no era lo suficientemente grande para cubrir a los tres, el muñeco de nieve se derritió rápidamente. Sus piernas se transformaron en fango. Se tambaleaba al avanzar, tropezando contra los escombros y chocando contra las vigas en llamas. Sus brazos derretidos buscaban, en vano, la puerta y encontraron las manos extendidas de Jacob.

—Muñeco de nieve —susurró Jacob.

—*¡Kente! ¡Kente!* —repitió el muñeco de nieve, cada vez más débil—. —¡Jacob, lleva afuera a tu hermano! ¡Ten fe, Jacob! Ten fe en ti mismo. Llénate de valor. Lucha Jacob. Lucha contra las llamas de esos malos sentimientos que llevas adentro. Ten fe en tu fuerza. Ten fe en el amor por tu hermano. Ten fe en que podrás salvar a Peewee, ¡y lo lograrás!

Abrumado por las lágrimas, Jacob dijo suavemente:

—Tengo fe, muñeco de nieve, tengo fe.

—*¡Kente!* —dijo el muñeco de nieve una vez más.

Jacob arropó contra él a su hermano bajo el paño y avanzó luchando contra el humo y las llamas mientras bajaba las escaleras. Una vez más, los valerosos africanos aparecieron y le mostraron el camino.

Al llegar abajo, los niños se dieron la vuelta. El muñeco de nieve había desaparecido, dejando sólo un charco de agua que no tardó en evaporarse con la intensidad del calor.

—¿Dónde crees que está? —preguntó Peewee.

En uno de los últimos escalones, Jacob vio restos de estambre de acero, unos botones, los guantes y un gracioso sombrero negro.

—Creo que no volverá.

Al salir del edificio, los niños vieron a su madre abrirse paso entre la gente. Jacob se sintió abrumado por los abrazos y los besos. Y pensó que era una sensación muy hermosa.

Jacob cerró los ojos y aspiró profundamente. De pronto se sintió inmensamente feliz de tener a Peewee y a Mami. Estaba contento de estar vivo y, sobre todo, estaba contento consigo mismo.

—Mis latas —dijo Peewee—. Olvidé las latas para el regalo de Mami.

—Calla —dijo Jacob—. Buscaremos más latas mañana. Iremos los dos juntos.

Los bomberos necesitaron varias horas para apagar el fuego. De regreso al carro de bomberos, uno de ellos notó un paño de colores revoloteando en la nieve. Lo recogió pensando que a su hija le gustaría hacer con él un vestido para su muñeca y, finalmente se lo guardó en el bolsillo.